Federico
García Lorca
Lunas, penas
y gitanos

Antología poética y Conferencia
sobre las nanas infantiles

Introducción, antología y comentarios
Delia N. Arrizabalaga

longseller

Lunas, penas y gitanos
© Longseller, 2004

EDITORA DE LA COLECCIÓN: Diana Blumenfeld

DIVISIÓN ARTE LONGSELLER
DIRECCIÓN DE ARTE: Adriana Llano
COORDINACIÓN GENERAL: Marcela Rossi
DISEÑO: Javier Saboredo / Diego Schtutman
DIAGRAMACIÓN: Santiago Causa / Mariela Camodeca
CORRECCIÓN: Norma Sosa

Longseller S.A.
Casa matriz: Avda. San Juan 777
(C1147AAF) Buenos Aires
República Argentina
Internet: www.longseller.com.ar
E-mail: ventas@longseller.com.ar

García Lorca, Federico
    Lunas, penas y gitanos.- 1ª. ed.- Buenos Aires: Longseller, 2004
    192 p.; 18x11 cm (Clásicos de Siempre)
    ISBN 987-550-417-3

    1. Poesía Española. I. Título
    CDD E861

 Esta edición de 3.000 ejemplares se terminó de imprimir en la Planta
Industrial de Longseller S.A., Buenos Aires, República Argentina,
en febrero de 2004.

Sólo treinta y ocho años vive Federico García Lorca. Ese corto lapso se inicia en Fuente Vaqueros –pueblo ubicado en la provincia española de Granada– el 5 de junio de 1898 y concluye trágicamente en la madrugada del 20 de agosto de 1936. Ambos extremos coinciden con dos fechas clave en la historia de España: 1898, año de grandes pérdidas territoriales de ultramar; 1936: inicio de la Guerra Civil.

Además de sus grandes dotes musicales, Federico pronto descubre también otra fértil tierra para sus inquietudes: la palabra. Así nace en 1918 *Impresiones y paisajes*, libro en prosa, cuya limitada repercusión no permite prever el ascendente éxito de los poemarios que le seguirán ni de su labor como dramaturgo.

Una licenciatura en derecho, obtenida a desgano y para satisfacer anhelos familiares, es su único título, pero él se siente exclusivamente "poeta por la gracia de Dios o del demonio", tan sólo poeta, sin poderlo remediar.

Después del *Libro de poemas* (1921), aun con mesurados ecos modernistas y temas que se repetirán en su restante producción: la muerte, el amor no correspondido, la desesperanza… gestará simultáneamente tres libros. Se trata de *Canciones*, *Primeras canciones* y *Poema del Cante Jondo*. En este último, combina su experiencia poética con el folclore andaluz y logra reflejar un panorama gitano con su lógica propia, sus ancestrales supersticiones y un espíritu libertario enfrentado a la rígida superestructura del poder constituido.

La época de su elaboración coincide con la de un exitoso certamen de cantores de toda Andalucía que, por esfuerzo conjunto de Federico y Manuel de Falla –músico de fama internacional– se celebra en La Alhambra, en 1922.

El andalucismo de la obra lorquiana aparece no sólo en este poemario (publicado en 1931) sino en el muy célebre *Romancero Gitano* que, a partir de 1928, tiene siete ediciones en vida del autor. Precisamente al *Romancero* se debe una imagen de gitanismo que el poeta rechaza con amargura.

Un año antes de tan arrolladora fama, ha estrenado *Mariana Pineda*, con escenografía de su íntimo amigo Salvador Dalí. También, junto con los jóvenes poetas líricos que conformaron desde entonces la llamada "generación del 27" –Rafael Alberti, Jorge Guillén, Luis Cernuda ...– interviene en el homenaje a Luis de Góngora, por el tricentenario de su muerte. El mecenas de esta célebre y trascendental reunión en Sevilla es Ignacio Sánchez Mejías, quien a su muerte (1934), le inspira a Federico una conmovedora elegía.

En 1929 se aleja por primera vez de España con el propósito de estudiar inglés en Estados Unidos. Aunque no lo concreta, la permanencia en una ciudad que le es totalmente ajena da como fruto un libro singular: *Poeta en Nueva York*.

Desde los Estados Unidos marcha hacia La Habana y allí también comprueba la enorme repercusión del *Romancero*.

En su última etapa, Federico alcanza definitivamente su fama de dramaturgo con *La zapatera prodigiosa*, *Bodas de sangre* y *Yerma*, a pesar de que la prensa derechista condena a esta última, considerándola creación inmoral e irreverente.

Salvo *Mariana Pineda*, las mujeres lorquianas son anuladas por su sometimiento al sombrío código moral del estrecho mundo pueblerino o de la propia Granada, como sucede en *Doña Rosita la soltera*. De algún modo, todas ellas viven con la muerte dentro.

En 1933, convocado por la gran actriz Lola Membrives, Federico conoce la calidez del público argentino y permanece en Buenos Aires hasta las cien representaciones de *Bodas de sangre*. Se lo nombra "embajador de las letras españolas" y por primera vez goza de independencia económica.

Cuando vuelve a España, en 1934, retoma la dirección de La Barraca, que ejerce desde hace dos años. Es este un grupo universitario itinerante, fundado por la República para "educar al pueblo con el instrumento hecho por el pueblo". Su propósito: llevar el teatro clásico a los más recónditos lugares. Alguna vez, Federico había pensado hacer lo mismo con un retablo de títeres, pues el mundo titiritesco le fascina desde niño.

La España de 1936 es un hervidero de rumores golpistas que preceden al alzamiento militar del 17 de julio, en Marruecos. La sublevación sorprende a Federico en su amada Granada, ciudad que cae en poder de los insurrectos. Aunque busca refugio en la casa de la familia Rosales, notorios falangistas, es sacado de ahí por la fuerza y fusilado en la madrugada del 20 de agosto de 1936, cerca de la fuente de Ainadamar. Si bien se tarda más de un mes en conocer la noticia, ese día el mundo ya ha tenido su "cinco en sombra de la tarde".

El tiempo no marchita el profundo interés que despierta la obra de Federico. Por lo tanto, tiene plena vigencia aquella lúcida definición de su entrañable amigo Jorge Guillén: "Junto al joven poeta –y no sólo en su poesía– se respiraba un aura que él iluminaba con su propia luz. Entonces no hacía frío de invierno ni calor de verano: hacía… Federico".

Indudablemente, aún "hace" Federico. Y es fácil predecir que, por siempre, "hará" Federico.

De a poco, las obras que no se editaron en vida del autor fueron siendo conocidas:

- *Así que pasen cinco años*, pieza teatral escrita en 1931. Iba a ser estrenada en 1936.
- *El público*, "drama de tema francamente homosexual. Creo que mi mejor poema", según palabras de Federico, al presentarlo frente a unos amigos.
- En 1940: *Poeta en Nueva York* y *Diván del Tamarit*. Esta última, nacida después de una inspiradora lectura de poetas arábigo-andaluces.

- En 1981: *Lola la comedianta* (farsa en un acto).
- En 1982: *Suites*, polifacético poemario compuesto entre 1920 y 1923 y del cual sólo se conocían algunas composiciones.
- En 1983: *Sonetos del amor oscuro*.
- En 1985: *Alocuciones argentinas*, editadas con motivo de la visita a Buenos Aires, de Isabel García Lorca.
- A su vez, *La casa de Bernarda Alba*, drama concluido dos meses antes de su muerte, es estrenado en Buenos Aires en 1945.

LUNAS

MEDIA LUNA

La luna va por el agua.
¡Cómo está el cielo tranquilo!
Va segando lentamente
el temblor viejo del río
mientras que una rama joven
la toma por espejito.

De *Primeras canciones*

CANCIÓN DE JINETE
(1860)

En la luna negra
de los bandoleros,
cantan las espuelas.

Caballito negro.
¿Dónde llevas tu jinete muerto?

… Las duras espuelas
del bandido inmóvil
que perdió las riendas.

Caballito frío.
¡Qué perfume de flor de cuchillo!

En la luna negra
sangraba el costado
de Sierra Morena.

Caballito negro.
¿Dónde llevas tu jinete muerto?

La noche espolea
sus negros ijares
clavándose estrellas.

Caballito frío.
¡Qué perfume de flor de cuchillo!

En la luna negra,
¡un grito! y el cuerno
largo de la hoguera.

Caballito negro.
¿Dónde llevas tu jinete muerto?

De *Canciones*

CANCIÓN
DE JINETE

Córdoba.
Lejana y sola.

Jaca negra, luna grande,
y aceitunas en mi alforja.
Aunque sepa los caminos
yo nunca llegaré a Córdoba.

Por el llano, por el viento,
jaca negra, luna roja.
La muerte me está mirando
desde las torres de Córdoba.

¡Ay qué camino tan largo!
¡Ay mi jaca valerosa!
¡Ay que la muerte me espera,
antes de llegar a Córdoba!
Córdoba.
Lejana y sola.

De *Canciones*

ROMANCE
DE LA LUNA, LUNA
A CONCHITA GARCÍA LORCA

La luna vino a la fragua
con su polisón de nardos.
El niño la mira mira.
El niño la está mirando.

En el aire conmovido
mueve la luna sus brazos
y enseña, lúbrica y pura,
sus senos de duro estaño.

—Huye luna, luna, luna.
Si vinieran los gitanos,
harían con tu corazón
collares y anillos blancos.

—Niño, déjame que baile.
Cuando vengan los gitanos,
te encontrarán sobre el yunque
con los ojillos cerrados.

—Huye luna, luna, luna,
que ya siento sus caballos.
—Niño, déjame, no pises
mi blancor almidonado.

El jinete se acercaba
tocando el tambor del llano.
Dentro de la fragua el niño,
tiene los ojos cerrados.

Por el olivar venían,
bronce y sueño, los gitanos.
Las cabezas levantadas
y los ojos entornados.

¡Cómo canta la zumaya,
ay cómo canta en el árbol!
Por el cielo va la luna
con un niño de la mano.

Dentro de la fragua lloran,
dando gritos, los gitanos.
El aire la vela, vela.
El aire la está velando.

De *Romancero gitano*

PENAS

CANCIÓN OTOÑAL
Noviembre de 1918
(GRANADA)

Hoy siento en el corazón
un vago temblor de estrellas,
pero mi senda se pierde
en el alma de la niebla.

La luz me troncha las alas
y el dolor de mi tristeza
va mojando los recuerdos
en la fuente de la idea.

Todas las rosas son blancas,
tan blancas como mi pena,
y no son las rosas blancas,
que ha nevado sobre ellas.

Antes tuvieron el iris.
También sobre el alma nieva.

La nieve del alma tiene
copos de besos y escenas
que se hundieron en la sombra
o en la luz del que las piensa.

La nieve cae de las rosas,
pero la del alma queda,
y la garra de los años
hace un sudario con ellas.

¿Se deshelará la nieve
cuando la muerte nos lleva?
¿O después habrá otra nieve
y otras rosas más perfectas?

¿Será la paz con nosotros
como Cristo nos enseña?
¿O nunca será posible
la solución del problema?

¿Y si el amor nos engaña?
¿Quién la vida nos alienta
si el crepúsculo nos hunde
en la verdadera ciencia
del Bien que quizá no exista,
y del mal que late cerca?
¿Si la esperanza se apaga
y la Babel se comienza,
qué antorcha iluminará
los caminos en la Tierra?

¿Si el azul es un ensueño,
qué será de la inocencia?
¿Qué será del corazón
si el Amor no tiene flechas?

¿Si la muerte es la muerte,
qué será de los poetas
y de las cosas dormidas
que ya nadie las recuerda?

¡Oh sol de las esperanzas!
¡Agua clara! ¡Luna nueva!
¡Corazones de los niños!
¡Almas rudas de las piedras!

Hoy siento en el corazón
un vago temblor de estrellas
y todas las rosas son
tan blancas como mi pena.

De *Libro de poemas*

SUEÑO
Mayo de 1919

Mi corazón reposa junto a la
fuente fría.

(Llénala con tus hilos,
araña del olvido.)

El agua de la fuente su canción
le decía.

(Llénala con tus hilos,
araña del olvido.)

Mi corazón despierto sus amores
decía.

(Araña del silencio,
téjele tu misterio.)

El agua de la fuente lo escuchaba
sombría.

(Araña del silencio,
téjele tu misterio.)

Mi corazón se vuelca sobre la
fuente fría.

(Manos blancas, lejanas,
detened a las aguas.)

Y el agua se lo lleva cantando de
alegría.

(¡Manos blancas, lejanas,
nada queda en las aguas!)

De *Libro de poemas*

CAMPO
(1920)

El cielo es de ceniza.
Los árboles son blancos,
y son negros carbones
los rastrojos quemados.

Tiene sangre reseca
la herida del ocaso,
y el papel incoloro
del monte está arrugado.

El polvo del camino
se esconde en los barrancos,
están las fuentes turbias
y quietos los remansos.

Suena en un gris rojizo
la esquila del rebaño,
y la noria materna
acabó su rosario.

El cielo es de ceniza,
los árboles son blancos.

De *Libro de poemas*

BALADILLA
DE LOS TRES RÍOS
A SALVADOR QUINTERO

El río Guadalquivir
va entre naranjos y olivos.
Los dos ríos de Granada
bajan de la nieve al trigo.

¡Ay, amor
que se fue y no vino!

El río Guadalquivir
tiene las barbas granates.
Los dos ríos de Granada,
uno llanto y otro sangre.

¡Ay, amor
que se fue por el aire!

Para los barcos de vela
Sevilla tiene un camino;
por el agua de Granada
sólo reman los suspiros.

¡Ay, amor
que se fue y no vino!

Guadalquivir, alta torre
y viento en los naranjales.

Dauro y Genil, torrecillas
muertas sobre los estanques.

¡Ay, amor
que se fue por el aire!

¡Quién dirá que el agua lleva
un fuego fatuo de gritos!

¡Ay, amor
que se fue y no vino!

Lleva azahar, lleva olivas,
Andalucía, a tus mares.

¡Ay, amor
que se fue por el aire!

De Poema del Cante Jondo

LA GUITARRA

Empieza el llanto
de la guitarra.
Se rompen las copas
de la madrugada.
Empieza el llanto
de la guitarra.
Es inútil callarla.
Es imposible
callarla.
Llora monótona
como llora el agua,
como llora el viento
sobre la nevada.
Es imposible
callarla.
Llora por cosas
lejanas.
Arena del Sur caliente

que pide camelias blancas.
Llora flecha sin blanco,
la tarde sin mañana,
y el primer pájaro muerto
sobre la rama.
¡Oh guitarra!
Corazón malherido
por cinco espadas.

De *Poema del Cante Jondo*

SEVILLA

Sevilla es una torre
llena de arqueros finos.

Sevilla para herir,
Córdoba para morir.

Una ciudad que acecha
largos ritmos,
y los enrosca
como laberintos.
Como tallos de parra
encendidos.

¡Sevilla para herir!

Bajo el arco del cielo,
sobre su llano limpio,
dispara la constante
saeta de su río.

¡Córdoba para morir!

Y loca de horizonte,
mezcla en su vino,
lo amargo de Don Juan
y lo perfecto de Dionisio.

Sevilla para herir.
¡Siempre Sevilla para herir!

De *Poema del Cante Jondo*

MEMENTO

Cuando yo me muera,
enterradme con mi guitarra
bajo la arena.

Cuando yo me muera,
entre los naranjos
y la hierbabuena.

Cuando yo me muera,
enterradme si queréis
en una veleta.

¡Cuando yo me muera!

De *Poema del Cante Jondo*

CAZADOR

¡Alto pinar!
Cuatro palomas por el aire van.

Cuatro palomas
vuelan y tornan.
Llevan heridas
sus cuatro sombras.

¡Bajo pinar!
Cuatro palomas en la tierra están.

De *Canciones*

CORTARON TRES ÁRBOLES
A ERNESTO HALFFTER

Eran tres
(Vino el día con sus hachas.)
Eran dos.
(Alas rastreras de plata.)
Era uno.
Era ninguno.
(Se quedó desnuda el agua.)

De *Canciones*

CANCIÓN CHINA EN EUROPA

A MI AHIJADA ISABEL CLARA

La señorita
del abanico,
va por el puente
del fresco río.

Los caballeros
con sus levitas,
miran el puente
sin barandillas.

La señorita
del abanico
y los volantes,
busca marido.

Los caballeros
están casados,
con altas rubias
de idioma blanco.

Los grillos cantan
por el Oeste.

(La señorita,
va por lo verde.)

Los grillos cantan
bajo las flores.

(Los caballeros,
van por el Norte.)

De *Canciones*

EL LAGARTO
ESTÁ LLORANDO

A MADEMOISELLE TERESITA GUILLÉN
TOCANDO UN PIANO DE SIETE NOTAS

El lagarto está llorando.
La lagarta está llorando.

El lagarto y la lagarta
con delantalitos blancos.

Han perdido sin querer
su anillo de desposados.

¡Ay, su anillito de plomo,
ay, su anillito plomado!

Un cielo grande y sin gente
monta en su globo a los pájaros.

El sol, capitán redondo,
lleva un chaleco de raso.

¡Miradlos qué viejos son!
¡Qué viejos son los lagartos!

¡Ay cómo lloran y lloran,
¡ay!, ¡ay!, cómo están llorando!

De *Canciones*

CANCIÓN TONTA

Mamá.
Yo quiero ser de plata.

Hijo,
tendrás mucho frío.

Mamá.
Yo quiero ser de agua.

Hijo,
tendrás mucho frío.

Mamá.
Bórdame en tu almohada.

¡Eso sí!
¡Ahora mismo!

De *Canciones*

MI NIÑA
SE FUE A LA MAR

Mi niña se fue a la mar,
a contar olas y chinas,
pero se encontró, de pronto,
con el río de Sevilla.

Entre adelfas y campanas
cinco barcos se mecían,
con los remos en el agua
y las velas en la brisa.

¿Quién mira dentro la torre
enjaezada, de Sevilla?
Cinco voces contestaban
redondas como sortijas.

El cielo monta gallardo
al río, de orilla a orilla.
En el aire sonrosado,
cinco anillos se mecían.

De *Canciones*

ES VERDAD

¡Ay qué trabajo me cuesta
quererte como te quiero!

Por tu amor me duele el aire,
el corazón
y el sombrero.

¿Quién me compraría a mí
este cintillo que tengo
y esta tristeza de hilo
blanco, para hacer pañuelos?

¡Ay qué trabajo me cuesta
quererte como te quiero!

De *Canciones*

DESPEDIDA

Si muero,
dejad el balcón abierto.

El niño come naranjas.
(Desde mi balcón lo veo.)

El segador siega el trigo.
(Desde mi balcón lo siento.)

¡Si muero,
dejad el balcón abierto!

De *Canciones*

PRELUDIO

Las alamedas se van,
pero dejan su reflejo.

Las alamedas se van,
pero nos dejan el viento.

El viento está amortajado
a lo largo bajo el cielo.

Pero ha dejado flotando
sobre los ríos sus ecos.

El mundo de las luciérnagas
ha invadido mis recuerdos.

Y un corazón diminuto
me va brotando en los dedos.

De *Canciones*

LLANTO POR
IGNACIO SÁNCHEZ MEJÍAS

La cogida y la muerte

1

A las cinco de la tarde.
Eran las cinco en punto de la tarde.
Un niño trajo la blanca sábana
a las cinco de la tarde.
Una espuerta de cal ya prevenida
a las cinco de la tarde.
Lo demás era muerte y sólo muerte
a las cinco de la tarde.

El viento se llevó los algodones
a las cinco de la tarde.
Y el óxido sembró cristal y níquel
a las cinco de la tarde.
Ya luchan la paloma y el leopardo

a las cinco de la tarde.
Y un muslo con un asta desolada
a las cinco de la tarde.

Comenzaron los sones del bordón
a las cinco de la tarde.
Las campanas de arsénico y el humo
a las cinco de la tarde.
En las esquinas grupos de silencio
a las cinco de la tarde,
¡y el toro solo corazón arriba!
a las cinco de la tarde.
Cuando el sudor de nieve fue llegando
a las cinco de la tarde,
cuando la plaza se cubrió de yodo
a las cinco de la tarde,
la muerte puso huevos en la herida
a las cinco de la tarde.
A las cinco de la tarde.
A las cinco en punto de la tarde.

Un ataúd con ruedas es la cama
a las cinco de la tarde.
Huesos y flautas suenan en su oído
a las cinco de la tarde.
El toro ya mugía por su frente
a las cinco de la tarde.
El cuarto se irisaba de agonía
a las cinco de la tarde.
A los lejos ya viene la gangrena
a las cinco de la tarde.
Trompa de lirio por las verdes ingles
a las cinco de la tarde.
Las heridas quemaban como soles
a las cinco de la tarde,
y el gentío rompía las ventanas
a las cinco de la tarde.
A las cinco de la tarde.
¡Ay qué terribles cinco de la tarde!
¡Eran las cinco en todos los relojes!
¡Eran las cinco en sombra de la tarde!

La sangre derramada
2

¡Que no quiero verla!

Dile a la luna que venga,
que no quiero ver la sangre
de Ignacio sobre la arena.

¡Que no quiero verla!

La luna de par en par.
Caballo de nubes quietas,
y la plaza gris del sueño
con sauces en las barreras.

¡Que no quiero verla!

Que mi recuerdo se quema.
¡Avisad a los jazmines
con su blancura pequeña!

¡Que no quiero verla!

La vaca del viejo mundo
pasaba su triste lengua
sobre un hocico de sangres
derramadas en la arena,
y los toros de Guisando,
casi muerte y casi piedra,
mugieron como dos siglos
hartos de pisar la tierra.

No.
¡Que no quiero verla!

Por las gradas sube Ignacio
con toda su muerte a cuestas.

Buscaba el amanecer,
y el amanecer no era.
Busca su perfil seguro,
y el sueño lo desorienta.
Buscaba su hermoso cuerpo
y encontró su sangre abierta.
¡No me digáis que la vea!
No quiero sentir el chorro
cada vez con menos fuerza;
ese chorro que ilumina
los tendidos y se vuelca
sobre la pana y el cuero
de muchedumbre sedienta.
¡Quién me grita que me asome!
¡No me digáis que la vea!

No se cerraron sus ojos
cuando vio los cuernos cerca,
pero las madres terribles
levantaron la cabeza.

Y a través de las ganaderías,
hubo un aire de voces secretas
que gritaban a toros celestes,
mayorales de pálida niebla.

No hubo príncipe en Sevilla
que comparársele pueda,
ni espada como su espada,
ni corazón tan de veras.
Como un río de leones
su maravillosa fuerza,
y como un torso de mármol
su dibujada prudencia.
Aire de Roma andaluza
le doraba la cabeza
donde su risa era un nardo
de sal y de inteligencia.
¡Qué gran torero en la plaza!
¡Qué buen serrano en la sierra!
¡Qué blando con las espigas!

¡Qué duro con las espuelas!
¡Qué tierno con el rocío!
¡Qué deslumbrante en la feria!
¡Qué tremendo con las últimas
banderillas de tiniebla!

Pero ya duerme sin fin.
Ya los musgos y la hierba
abren con dedos seguros
la flor de su calavera.
Y su sangre ya viene cantando:
cantando por marismas y praderas,
resbalando por cuernos ateridos,
vacilando sin alma por la niebla,
tropezando con miles de pezuñas
como una larga, oscura, triste lengua,
para formar un charco de agonía
junto al Guadalquivir de las estrellas.

¡Oh blanco muro de España!
¡Oh negro toro de pena!
¡Oh sangre dura de Ignacio!
¡Oh ruiseñor de sus venas!
No.
¡Que no quiero verla!
Que no hay cáliz que la contenga,
que no hay golondrinas que se la beban,
no hay escarcha de luz que la enfríe,
no hay canto ni diluvio de azucenas,
no hay cristal que la cubra de plata.
No.
¡¡¡Yo no quiero verla!!!

Cuerpo presente
3

La Piedra es una frente donde
   los sueños gimen
sin tener agua curva ni cipreses
   helados.
La piedra es una espalda para
   llevar al tiempo
con árboles de lágrimas y cintas
   y planetas.

Yo he visto lluvias grises
   correr hacia las olas
levantando sus tiernos brazos
   acribillados,
para no ser cazadas por la piedra
   tendida
que desata sus miembros sin empapar
   la sangre.

Porque la piedra coge simientes
    y nublados,
esqueletos de alondras y lobos
    de penumbra;
pero no da sonidos, ni cristales,
    ni fuego,
sino plazas y plazas y otras plazas
    sin muros.

Ya está sobre la piedra Ignacio
    el bien nacido.
Ya se acabó; ¿qué pasa? Contemplad
    su figura:
la muerte le ha cubierto
    de pálidos azufres
y le ha puesto cabeza de oscuro
    minotauro.

Ya se acabó. La lluvia penetra
    por su boca.

El aire como loco deja su pecho
   hundido,
y el amor, empapado
   con lágrimas de nieve,
se calienta en la cumbre
   de las ganaderías.

¿Qué dicen? Un silencio
   con hedores reposa.
Estamos con un cuerpo presente
   que se esfuma,
con una forma clara
   que tuvo ruiseñores
y la vemos llenarse
   de agujeros sin fondo.

¿Quién arruga el sudario?
   ¡No es verdad lo que dice!
Aquí no canta nadie, ni llora en el rincón,
ni pica las espuelas, ni espanta

la serpiente:
aquí no quiero más que los ojos
  redondos
para ver ese cuerpo sin posible
  descanso.

Yo quiero ver aquí los hombres
  de voz dura.
Los que doman caballos y dominan
  los ríos:
los hombres que les suena
  el esqueleto y cantan
con una boca llena de sol y pedernales.

Aquí quiero yo verlos. Delante
  de la piedra.
Delante de este cuerpo
  con las riendas quebradas.
Yo quiero que me enseñen
  dónde está la salida

para este capitán atado por la muerte.
Yo quiero que me enseñen
  un llanto como un río
que tenga dulces nieblas
  y profundas orillas,
para llevar el cuerpo de Ignacio
  y que pierda
sin escuchar el doble resuello
  de los toros.

Que se pierda en la plaza
  redonda de la luna
que finge cuando niña doliente
  res inmóvil;
que se pierda en la noche
  sin canto de los peces
y en la maleza blanca del humo
  congelado.

No quiero que le tapen
  la cara con pañuelos
para que se acostumbre
  con la muerte que lleva.
Vete, Ignacio: no sientas
  el caliente bramido.
Duerme, vuela, reposa: ¡también
  se muere el mar!

Alma ausente

4

No te conoce el toro ni la higuera,
ni caballos ni hormigas de tu casa.
No te conoce el niño ni la tarde
porque te has muerto
   para siempre.

No te conoce el lomo de la piedra,
ni el raso negro donde te destrozas.
No te conoce tu recuerdo mudo
porque te has muerto
   para siempre.

El otoño vendrá con caracolas,
uva de niebla y montes agrupados,
pero nadie querrá mirar tus ojos
porque te has muerto
   para siempre.

Porque te has muerto
  para siempre,
como todos los muertos
  de la Tierra,
como todos los muertos
  que se olvidan
en un montón de perros apagados.

No te conoce nadie. No. Pero yo
  te canto.
Yo canto para luego tu perfil
  y tu gracia.
La madurez insigne
  de tu conocimiento.
Tu apetencia de muerte
  y el gusto de su boca.
La tristeza que tuvo tu valiente alegría.

Tardará mucho tiempo en nacer,
  si es que nace,

un andaluz tan claro, tan rico
   de aventura.
Yo canto su elegancia con palabras
   que gimen
y recuerdo una brisa triste
   por los olivos.

GACELA DEL RECUERDO
DE AMOR

No te lleves tu recuerdo.
Déjalo solo en mi pecho,
temblor de blanco cerezo
en el martirio de enero.

Me separa de los muertos
un muro de malos sueños.

Doy pena de lirio fresco
para un corazón de yeso.

Toda la noche, en el huerto
mis ojos, como dos perros.

Toda la noche, corriendo
los membrillos de veneno.

Algunas veces el viento
es un tulipán de miedo,
es un tulipán enfermo,
la madrugada de invierno.

Un muro de malos sueños
me separa de los muertos.

La niebla cubre en silencio
el valle gris de tu cuerpo.

Por el arco del encuentro
la cicuta está creciendo.

Pero deja tu recuerdo,
déjalo solo en mi pecho.

De *Diván del Tamarit*

GITANOS

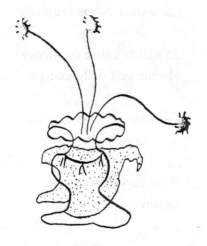

por

Federico García Lorca.

LA LOLA

Bajo el naranjo lava
pañales de algodón.
Tiene verdes los ojos
y violeta la voz.

¡Ay, amor,
bajo el naranjo en flor!

El agua de la acequia
iba llena de sol,
en el olivarito
cantaba un gorrión.

¡Ay, amor,
bajo el naranjo en flor!

Luego, cuando la Lola
gaste todo el jabón
vendrán los torerillos.

¡Ay, amor,
bajo el naranjo en flor!

De *Poema del Cante Jondo*

BAILE

La Carmen está bailando
por las calles de Sevilla.
Tiene blancos los cabellos
y brillantes las pupilas.
¡Niñas, corred las cortinas!

En su cabeza se enrosca
una serpiente amarilla,
y va soñando en el baile
con galanes de otros días.
¡Niñas, corred las cortinas!

Las calles están desiertas
y en los fondos se adivinan,
corazones andaluces
buscando viejas espinas.
¡Niñas, corred las cortinas!

De *Poema del Cante Jondo*

ARBOLÉ ARBOLÉ

Arbolé arbolé
seco y verdé.

La niña de bello rostro
está cogiendo aceituna.
El viento, galán de torres,
la prende por la cintura.
Pasaron cuatro jinetes,
sobre jacas andaluzas,
con trajes de azul y verde,
con largas capas oscuras.
"Vente a Granada, muchacha."
La niña no los escucha.
Pasaron tres torerillos
delgaditos de cintura,
con trajes color naranja
y espada de plata antigua.
"Vente a Sevilla, muchacha."

La niña no los escucha.
Cuando la tarde se puso
morada, con luz difusa,
pasó un joven que llevaba
rosas y mirtos de luna.
"Vente a Granada, muchacha."
Y la niña no lo escucha.
La niña del bello rostro
sigue cogiendo aceituna,
con el brazo gris del viento
ceñido por la cintura.

Arbolé arbolé
seco y verdé.

De *Canciones*

ROMANCE SONÁMBULO

A GLORIA GINER
Y FERNANDO DE LOS RÍOS

Verde que te quiero verde.
Verde viento. Verdes ramas.
El barco sobre la mar
y el caballo en la montaña.
Con la sombra en la cintura
ella sueña en su baranda,
verde carne, pelo verde,
con ojos de fría plata.
Verde que te quiero verde.
Bajo la luna gitana,
las cosas la están mirando
y ella no puede mirarlas.

Verde que te quiero verde.
Grandes estrellas de escarcha,
vienen con el pez de sombra

que abre el camino del alba.
La higuera frota su viento
con la lija de sus ramas,
y el monte, gato garduño,
eriza sus pitas agrias.
¿Pero quién vendrá? ¿Y por dónde…?
Ella sigue en su baranda,
verde carne, pelo verde,
soñando en la mar amarga.
—Compadre, quiero cambiar
mi caballo por su casa,
mi montura por su espejo,
mi cuchillo por su manta.
Compadre, vengo sangrando,
desde los puertos de Cabra.
—Si yo pudiera, mocito,
ese trato se cerraba.
Pero yo ya no soy yo,
ni mi casa es ya mi casa.

—Compadre, quiero morir
decentemente en mi cama.
De acero, si puede ser,
con las sábanas de holanda.
¿No ves la herida que tengo
desde el pecho a la garganta?
—Trescientas rosas morenas
lleva tu pechera blanca.
Tu sangre rezuma y huele
alrededor de tu faja.

Pero yo ya no soy yo,
ni mi casa es ya mi casa.
—Dejadme subir al menos
hasta las altas barandas,
¡dejadme subir!, dejadme
hasta las verdes barandas.
Barandales de la luna
por donde retumba el agua.

Ya suben los dos compadres
hacia las altas barandas.
Dejando un rastro de sangre.
Dejando un rastro de lágrimas.
Temblaban en los tejados
farolillos de hojalata.
Mil panderos de cristal,
herían la madrugada.

Verde que te quiero verde,
verde viento, verdes ramas.
Los dos compadres subieron.
El largo viento, dejaba
en la boca un raro gusto
de hiel, de menta y de albahaca.

—¡Compadre! ¿Dónde está, dime?
¿Dónde está tu niña amarga?
—¡Cuántas veces te esperó!

¡Cuántas veces te esperara,
cara fresca, negro pelo,
en esta verde baranda!

Sobre el rostro del aljibe
se mecía la gitana.
Verde carne, pelo verde,
con ojos de fría plata.
Un carámbano de luna
la sostiene sobre el agua.
La noche se puso íntima
como una pequeña plaza.
Guardias civiles borrachos
en la puerta golpeaban.
Verde que te quiero verde.
Verde viento. Verdes ramas.
El barco sobre la mar.
Y el caballo en la montaña.

De *Romancero gitano*

LA MONJA GITANA

A JOSÉ MORENO VILLA

Silencio de cal y mirto.
Malvas en las hierbas finas.
La monja borda alhelíes
sobre una tela pajiza.
Vuelan en la araña gris,
siete pájaros del prisma.
La iglesia gruñe a lo lejos
como un oso panza arriba.
¡Qué bien borda! ¡Con qué gracia!
Sobre la tela pajiza,
ella quisiera bordar
flores de su fantasía.
¡Qué girasol! ¡Qué magnolia
de lentejuelas y cintas!
¡Qué azafranes y qué lunas,
en el mantel de la misa!
Cinco toronjas se endulzan

en la cercana cocina.
Las cinco llagas de Cristo
cortadas en Almería.
Por los ojos de la monja
galopan dos caballistas.
Un rumor último y sordo
le despega la camisa,
y al mirar nubes y montes
en las yertas lejanías,
se quiebra su corazón
de azúcar y yerbaluisa.
¡Oh! qué llanura empinada
con veinte soles arriba.
¡Qué ríos puestos de pie
vislumbra su fantasía!
Pero sigue con sus flores,
mientras que de pie, en la brisa,
la luz juega el ajedrez
alto de la celosía.

De *Romancero gitano*

LA CASADA INFIEL

A LYDIA CABRERA Y A SU NEGRITA

Y que yo me la llevé al río
creyendo que era mozuela,
pero tenía marido.
Fue la noche de Santiago
y casi por compromiso.
Se apagaron los faroles
y se encendieron los grillos.
En las últimas esquinas
toqué sus pechos dormidos,
y se me abrieron de pronto
como ramos de jacintos.
El almidón de su enagua
me sonaba en el oído,
como una pieza de seda
rasgada por diez cuchillos.
Sin luz de plata en sus copas
los árboles han crecido,

y un horizonte de perros
ladra muy lejos del río.
Pasadas las zarzamoras,
los juncos y los espinos,
bajo su mata de pelo
hice un hoyo sobre el limo.
Yo me quité la corbata.
Ella se quitó el vestido.
Yo el cinturón con revólver.
Ella sus cuatro corpiños.
Ni nardos ni caracolas
tienen el cutis tan fino,
ni los cristales con luna
relumbran con ese brillo.
Sus muslos se me escapaban
como peces sorprendidos,
la mitad llenos de lumbre,
la mitad llenos de frío.
Aquella noche corrí
el mejor de los caminos,

montado en potra de nácar
sin bridas y sin estribos.
No quiero decir, por hombre,
las cosas que ella me dijo.
La luz del entendimiento
me hace ser muy comedido.
Sucia de besos y arena,
yo me la llevé del río.
Con el aire se batían
las espadas de los lirios.
Me porté como quien soy.
Como un gitano legítimo.
La regalé un costurero
grande de raso pajizo,
y no quise enamorarme
porque teniendo marido
me dijo que era mozuela
cuando la llevaba al río.

De *Romancero gitano*

ROMANCE
DE LA PENA NEGRA

A JOSÉ NAVARRO PARDO

Las piquetas de los gallos
cavan buscando la aurora,
cuando por el monte oscuro
baja Soledad Montoya.
Cobre amarillo, su carne,
huele a caballo y a sombra.
Yunques ahumados sus pechos, gimen canciones redondas.
—Soledad: ¿por quién preguntas,
sin compaña y a estas horas?
—Pregunte por quien pregunte
dime; ¿a ti qué se te importa?
Vengo a buscar lo que busco,
mi alegría y mi persona.
—Soledad de mis pesares,
caballo que se desboca,

al fin encuentra la mar
y se lo tragan las olas.
—No me recuerdes el mar
que la pena negra, brota
en las tierras de aceituna
bajo el rumor de las hojas.
—¡Soledad, qué pena tienes!
¡Qué pena tan lastimosa!
Lloras zumo de limón
agrio de espera y de boca.
—¡Qué pena tan grande!
Corro mi casa como una loca,
mis dos trenzas por el suelo,
de la cocina a la alcoba.
¡Que pena! Me estoy poniendo
de azabache, carne y ropa.
¡Ay mis camisas de hilo!
¡Ay mis muslos de amapola!
—Soledad: lava tu cuerpo
con agua de las alondras,

y deja tu corazón
en paz, Soledad Montoya.

Por abajo canta el río:
volante de cielo y hojas.
Con flores de calabaza,
la nueva luz se corona.
¡Oh pena de los gitanos!
Pena limpia y siempre sola.
¡Oh pena de cauce oculto
y madrugada remota!

De *Romancero gitano*

PRENDIMIENTO DE ANTOÑITO EL CAMBORIO EN EL CAMINO DE SEVILLA

A MARGARITA XIRGU

Antonio Torres Heredia,
hijo y nieto de Camborios,
con una vara de mimbre
va a Sevilla a ver los toros.
Moreno de verde luna
anda despacio y garboso.
Sus empavonados bucles
le brillan entre los ojos.
A la mitad del camino
cortó limones redondos,
y los fue tirando al agua
hasta que la puso de oro.
Y a la mitad del camino,
bajo las ramas de un olmo,
guardia civil caminera
lo llevó codo con codo.

El día se va despacio,
la tarde colgada a un hombro,
dando una larga torera
sobre el mar y los arroyos.
Las aceitunas aguardan
la noche de Capricornio,
y una corta brisa, ecuestre,
salta los montes de plomo.
Antonio Torres Heredia,
hijo y nieto de Camborios,
viene sin vara de mimbre
entre los cinco tricornios.
—Antonio, ¿quién eres tú?
Si te llamaras Camborio,
hubieras hecho una fuente
de sangre con cinco chorros.
Ni tú eres hijo de nadie,
ni legítimo Camborio.
¡Se acabaron los gitanos
que iban por el monte solos!

Están los viejos cuchillos
tiritando bajo el polvo.

A las nueve de la noche
lo llevan al calabozo,
mientras los guardias civiles
beben limonada todos.
Y a las nueve de la noche
le cierran el calabozo,
mientras el cielo reluce
como la grupa de un potro.

De *Romancero gitano*

MUERTE DE ANTOÑITO EL CAMBORIO

A JOSÉ ANTONIO RUBIO SACRISTÁN

Voces de muerte sonaron
cerca del Guadalquivir.
Voces antiguas que cercan
voz de clavel varonil.
Les clavó sobre las botas
mordiscos de jabalí.
En la lucha daba saltos
jabonados de delfín.
Bañó con sangre enemiga
su corbata carmesí,
pero eran cuatro puñales
y tuvo que sucumbir.
Cuando las estrellas clavan
rejones al agua gris,
cuando los erales sueñan
verónicas de alhelí,

voces de muerte sonaron
cerca del Guadalquivir.

—Antonio Torres Heredia,
Camborio de dura crin,
moreno de verde luna,
voz de clavel varonil:
¿Quién te ha quitado la vida
cerca del Guadalquivir?
—Mis cuatro primos Heredias
hijos de Benamejí.
Lo que en otros no envidiaban,
ya lo envidiaban en mí.
Zapatos color corinto,
medallones de marfil,
y este cutis amasado
con aceituna y jazmín.
—¡Ay Antoñito el Camborio,
digno de una Emperatriz!

Acuérdate de la Virgen
porque te vas a morir.
—¡Ay Federico García,
llama a la Guardia Civil!
Ya mi talle se ha quebrado
como caña de maíz.

Tres golpes de sangre tuvo
y se murió de perfil.
Viva moneda que nunca
se volverá a repetir.
Un ángel marchoso pone
su cabeza en un cojín.
Otros de rubor cansado,
encendieron un candil.
Y cuando los cuatro primos
llegan a Benamejí,
voces de muerte cesaron
cerca del Guadalquivir.

De *Romancero gitano*

ROMANCE DE LA GUARDIA CIVIL ESPAÑOLA

A JUAN GUERRERO, CÓNSUL GENERAL DE LA POESÍA

Los caballos negros son.
Las herraduras son negras.
Sobre las capas relucen
manchas de tinta y de cera.
Tienen, por eso no lloran,
de plomo las calaveras.
Con el alma de charol
vienen por la carretera.
Jorobados y nocturnos,
por donde animan ordenan
silencios de goma oscura
y miedos de fina arena.
Pasan, si quieren pasar,
y ocultan en la cabeza
una vaga astronomía
de pistolas inconcretas.

¡Oh ciudad de los gitanos!
En las esquinas banderas.
La luna y la calabaza
con las guindas en conserva.
¡Oh ciudad de los gitanos!
¿Quién te vio y no te
     recuerda?
Ciudad de dolor y almizcle,
con las torres de canela.

Cuando llegaba la noche,
noche que noche nochera,
los gitanos en sus fraguas
forjaban soles y flechas.
Un caballo malherido,
llamaba a todas las puertas.
Gallos de vidrio cantaban
por Jerez de la Frontera.
El viento, vuelve desnudo
la esquina de la sorpresa,

en la noche platinoche
noche, que noche nochera.

La Virgen y San José
perdieron sus castañuelas,
y buscan a los gitanos
para ver si las encuentran.
La Virgen viene vestida
con un traje de alcaldesa
de papel de chocolate
con los collares de almendras.
San José mueve los brazos
bajo una capa de seda.

Detrás va Pedro Domecq
con tres sultanes de Persia.
La media luna, soñaba
un éxtasis de cigüeña.
Estandartes y faroles
invaden las azoteas.

Por los espejos sollozan
bailarinas sin caderas.
Agua y sombra, sombra y agua
por Jerez de la Frontera.

¡Oh ciudad de los gitanos!
En las esquinas banderas.
Apaga tus verdes luces
que viene la benemérita.
¡Oh ciudad de los gitanos!
¿Quién te vio y no te recuerda?
Dejadla lejos del mar,
sin peines para sus crenchas.

Avanzan de dos en fondo
a la ciudad de la fiesta.
Un rumor de siemprevivas
invade las cartucheras.
Avanzan de dos en fondo.
Doble nocturno de tela.

El cielo, se les antoja,
una vitrina de espuelas.

La ciudad libre de miedo,
multiplicaba sus puertas.
Cuarenta guardias civiles
entran a saco por ellas.
Los relojes se pararon,
y el coñac de las botellas
se disfrazó de noviembre
para no infundir sospechas.
Un vuelo de gritos largos
se levantó en las veletas.
Los sables cortan las brisas
que los cascos atropellan.
Por las calles de penumbra
huyen las gitanas viejas
con los caballos dormidos
y las orzas de monedas.
Por las calles empinadas

suben las capas siniestras,
dejando detrás fugaces
remolinos de tijeras.

En el portal de Belén
los gitanos se congregan.
San José, lleno de heridas,
amortaja a una doncella.
Tercos fusiles agudos
por toda la noche suenan.
La Virgen cura a los niños
con salivilla de estrella.
Pero la Guardia Civil
avanza sembrando hogueras,
donde joven y desnuda
la imaginación se quema.
Rosa la de los Camborios,
gime sentada en su puerta
con sus dos pechos cortados
puestos en una bandeja.

Y otras muchachas corrían
perseguidas por sus trenzas,
en un aire donde estallan
rosas de pólvora negra.
Cuando todos los tejados
eran surcos en la tierra,
el alba meció sus hombros
en largo perfil de piedra.

¡Oh ciudad de los gitanos!
La Guardia Civil se aleja
por un túnel de silencio
mientras las llamas te cercan.

¡Oh ciudad de los gitanos!
¿Quién te vio y no te recuerda?
Que te busquen en mi frente.
Juego de luna y arena.

De *Romancero gitano*

COMENTARIOS

LLANTO POR
IGNACIO SÁNCHEZ MEJÍAS

El hondo dolor por la muerte de su gran amigo, el torero Ignacio Sánchez Mejías, da nacimiento a una obra maestra que es considerada como la síntesis de sus sucesivos registros estilísticos. Se publica en mayo de 1935, dedicada a la Argentinita (Encarnación López Júlvez), mujer de Ignacio y extraordinaria bailarina y cantante de música española, con quien Federico grabó varios discos, acompañándola al piano.

La lectura de las cuatro partes que lo componen no siempre es de fácil interpretación. Incluso, los críticos discrepan entre sí respecto de sus metáforas. Esto debe alentarnos para un acercamiento personal al *Llanto*, dejándonos llevar tan sólo por aquello que sentimos, por lo que nos conmueve desenfrenadamente el corazón.

El poeta trabaja la primera parte (*La cogida y la muerte*) con elementos reales, pero como si fuera en un contexto fantástico. Ese niño tal vez sea –o no– un "niño-ángel" de la Muerte y, a su vez, el viento quizá volatiliza los prosaicos algodones o bien impulsa las nubes en el cielo…

En los versos más extensos se acumulan todos los indicios premonitorios de la Muerte, alternándose con el célebre octosílabo "a las cinco de la tarde", cuya reiteración va creando un crescendo casi asfixiante. Es similar a un obse-

sivo y monótono canto coral fantasma-
górico donde la Muerte acaba por ins-
talarse. Con ella instaurada en el centro
de la escena, se inicia la segunda parte.
Ahora no se repite más el estribillo an-
terior sino que un grito arrancado desde dentro mismo del poeta toma su lugar. "¡Que no quiero verla!", repite,
porque ver la sangre de Ignacio es tener
la certeza de su fin.

Como las "madres terribles" –las mi-
tológicas Parcas– han concedido su
asentimiento para que el drama se de-
sencadene, será inútil que el espectro de
Ignacio suba con la cruz de su muerte a
cuestas, por las gradas de esta plaza de
toros irreal. Federico delinea, entonces,
con trazos admirativos, el perfil huma-
no del torero, cuya sangre se derrama
hasta invadirlo todo.

Es recién en la tercera parte *(Cuerpo presente)* cuando el poeta al fin afronta la trágica verdad. Más aún, quiere que todos los hombres pletóricos de vida vean esa sangre y que el propio Ignacio (el bien nacido, como el Cid Campeador) se acostumbre a su propia desaparición.

La exhortación final: "Duerme, vuela, reposa: ¡También se muere el mar!" implica haber aceptado lo definitivo, tras la rebeldía de los primeros momentos. A lo largo de *Alma ausente* insiste en cómo la Muerte "desidentifica" al hombre, convirtiéndolo en "otro", un "otro" que sufrirá aun el último escarnio: que el mundo lo olvide. De ahí que Federico concluye lapidariamente: "Te has muerto para siempre".

Sin embargo, en el final del *Llanto*, se descubre que hay algo capaz de triunfar sobre el olvido: *la palabra*. El canto poético rescatará a Ignacio de la indiferencia del silencio. Por eso, aunque el verso grávido de escepticismo se reitere, ahora conlleva un sentido afirmativo: "No te conoce nadie. No. Pero yo canto".

ROMANCERO GITANO

Es su poemario más difundido, el más analizado y, precisamente, por su amplísima repercusión popular, el que se ha prestado a mayores equívocos.

Su título original: *Primer romancero gitano*, se cambia a partir de la tercera edición, para no crear la falsa expectativa de una segunda parte. A tal punto Federico no alienta este propósito, que llega a decir: "Una vez terminado este romance (se refería al de la Guardia Civil Española) y el Romance de Santa Olalla, daré por terminado el libro. Será bárbaro. Creo que es un buen libro. Después no tocaré ¡jamás!, ¡jamás! este tema". Porque eso es para él, sólo un tema. El gitanismo le da un tono de incultura que, evidentemente, nada tiene que ver con su auténtica manera de ser.

Los dos temas que se deslizan a lo largo de este *Romancero* son el amor frustrado o su perturbadora presencia y la violencia, a veces seguida de muerte.

También el libro es un ejemplo de animismo, gracias al cual todo adquiere una vida no perceptible por las captaciones comunes. De ahí que los cuchillos pueden tiritar y que el día, humanizado como torero, se va despaciosamente llevando consigo los colores de su capa de matador. Teniendo todos los sentidos abiertos y no sólo el visual, puede captarse el entorno.

El libro es una fuente inagotable de audaces metáforas y un modelo de romance culto con raíces en una remota tradición oral.

No intentemos hallar en el *Romancero* al gitano como tal, porque lo que se nos da es la autoproyección de Federico y no el testimonio de una raza.

Sería aplicable aquí, para que el lector reflexione, aquella frase de Federico a propósito de Góngora: "No hay nada más imprudente que leer el madrigal hecho a una rosa, con una rosa viva en la mano. Sobra la rosa o el madrigal".

Romance de la luna, luna: Hay una fragua –ese sitio tan común para muchos gitanos dedicados a la herrería–, olivares y un niño atrapado en la fascinación de la danza de la luna llena, que acabará por arrebatarlo en una muerte cósmica.

Por supuesto, están los gitanos, vistos en su dimensión mítica tanto como en su fragilidad humana: titanes capaces de llegar al corazón de la Luna y convertirlo en adornos y amuletos… pero también, seres comunes vencidos por el sueño.

En el inicio del poema, los "senos de duro estaño" preanuncian con su metálica presencia el trágico desenlace, mientras el viento sirve de ámbito a la danza. Es el mismo viento acogedor y conmovido que, en el final, vela la fragua donde el gitanillo yace con los ojos cerrados.

Este sugerente enlace entre Tierra y Cielos a través del baile ha servido de inspiración para una coreografía clásica.

Romance sonámbulo: "Tu mejor romance" –ha dicho Rafael Alberti–. "*Su verde viento* nos tocó a todos, dejándonos su eco en los oídos". No es sólo el verde viento y ni siquiera las verdes ramas, y luego la verde carne y el verde pelo de la gitana que se arrojó a las aguas del aljibe. Imágenes similares ya las creó Juan Ramón Jiménez. Lo que no estaba era ese extraño y profundo verso con el cual comienza el romance: "Verde que te quiero verde" y del cual críticos y recitadores han hecho variadas interpretaciones. La más lúcida pertenece al propio hermano de Federico: "Podemos suponer que el poeta anticipa no un verde ni el verde sino la idea misma del verde aún no creado". Un verde no nacido, que florecerá al conjuro de la convocatoria del poeta.

Las "estrellas de escarcha" –indiferentes al destino del hombre– y una fugaz y oscura pincelada en el horizonte, anuncian el amanecer. Entonces, los personajes cambian. Es el novio de la niña muerta –un contrabandista malherido que viene desde los puertos de Cabra, en la serranía andaluza– y el padre de la joven, quienes hablan. El elemento dramático se ha hecho presente en el romance.

Y mientras el joven sube a la casa, para morir, un rayo lunar con rigidez de hielo se detiene sobre la imagen en las aguas, prisionera de la sombra de la muerte. Tan estática escena tiene su contrapartida en el dinamismo brutal de las guardias civiles borrachos; pero nada puede modificar ya los elementos de esa realidad. Cada cosa: el mar, la montaña y el caballo que ha llevado al joven hasta el Sacromonte, está en su sitio. La muerte es quien los enlaza.

La monja gitana: Título compuesto por elementos incompatibles: la mujer gitana –de una raza que es sinónimo de libertad– se ha recluido en un convento. Y por más que sea este un convento granadino del barrio del Albaicín, tan diferente a la sombría adustez de las casas conventuales de Castilla, la luz no puede expandirse por el cuarto. Apenas se filtra por las altas celosías y se refracta, multiplicándose, en la gris araña que obra a manera de prisma.

La monja es fiel a sus votos, pero... ¿cómo ponerle freno al recuerdo de la vida tras los muros encalados? Las imágenes de ese otro mundo conocido se refleja en sus ojos y aun sacuden la sensualidad de su carne, que late reprimida bajo el peso de la resignación.

"El impulso vital… se levanta de las lentejuelas y las lunas" con las que muy gitanamente quisiera engalanar sus bordados. Hacia el final, la simbología erótica que recorre toda la obra alcanza su máximo esplendor: "¡Que ríos puestos de pie/vislumbra su fantasía!". Es una imagen inequívoca, en la que las ansias pasionales –marchitas y amarillas como el color de ese mantel que borda para el altar– ceden ante el empuje tumultuoso de un inconsciente liberado.

La casada infiel: "Popular hasta la desesperación" y el más artificial de toda la obra, declara el propio Federico. No obstante el juicio condenatorio, las distintas generaciones de lectores siguen considerando a este poema entre los preferidos.

Es el único narrado en primera persona y el único en el cual, precisamente sin que la luz de la Luna tiña el paisaje, el gozo llega a su plenitud, aunque el punto de partida sea un engaño.

En esa noche de Santiago (25 de julio, pleno verano), el gitano cree haber conquistado a una mozuela virgen que le hará la ofrenda de su honor; sin embargo, resulta engañado por ella. Y aunque esta mujer apasionada e impetuosa ha provocado placer, merecerá la reprobación del orgullo varonil herido y recibirá una paga (el costurero pajizo), como si fuese una prostituta.

En *La casada infiel*, todos los sentidos son convocados y todo el paisaje responde a la simbología erótica habitual en Federico: el río, una vegetación hiriente compuesta por zarzamoras, juncos y espinos y un cantar de grillos llamando a sus hembras.

Después del célebre comienzo, que parece responder a una copla oída en su juventud, el poeta desarrolla un relato sumamente cercano a lo anecdótico. Aun así, una vez más hay en él calidad lírica y destreza retórica con la que alude al momento más álgido de la relación sexual: "Aquella noche corrí/el mejor de los caminos,/ montado en potra de nácar/sin bridas y sin estribos".

Romance de la pena negra: Es considerado por el autor mismo, como lo más representativo de su *Romancero*. Al glosarlo en una conferencia de 1936, dijo que "la raíz del duelo andaluz estaba expresada en la pena de Soledad Montoya".

Aunque aceptamos a Soledad como símbolo, antes de elevarla a tal categoría la sentiremos cerca de nosotros en su dimensión humana, como mujer de carnes que amarillean por el sufrimiento amoroso, durante la inútil espera.

Hembra sin hombre. Ennegrecida desde dentro hacia afuera. Su pena tan honda es capaz de agriar el llanto y traspasar su negrura a la ropa misma –tal vez un ajuar de novia– y al entorno.

El poeta tiene para con ella un gesto de solidaridad y advertencia sobre los efectos destructivos del amor. Al concluir el diálogo, la invita a lavarse con el rocío de la mañana que moja a las tempraneras alondras. Todo es inútil. Sole-

dad es otra "mártir andaluza" (como lo
será su célebre Rosita, el personaje teatral), la mujer que se marchita en la espera de un amor que parece haberle
arrebatado el mar, ahora aludido direc-
tamente y no con sentido metafórico.

Por eso, aunque la aurora vivifica la
naturaleza, la pena de Soledad se filtra
sin remedio, como el agua mansa que
todo lo invade, incontenible.

Es más que un dolor individual y
aislado. Es, ahora sí, la angustia existen-
cial de toda una raza.

**Prendimiento y Muerte de Antoñito el
Camborio:** Un mismo personaje y dos
actitudes antagónicas.

Es el atardecer de la Nochebuena, "la
noche de Capricornio". En el primer
poema: el *Prendimiento* (palabra que

recuerda a Cristo y su entrega a manos romanas), Antonio es sorprendido a la mitad del camino entre Granada y Sevilla. Le intercepta el paso la autoridad encarnada en los guardias civiles y, sin ofrecer resistencia alguna, él permite que lo esposen y encarcelen.

Antonio es un dechado de apostura física y vitalidad, algo así como un compendio de su raza gitana. Ha venido andando despreocupadamente, con una dúctil vara de mimbre que, en su mano, más bien parece cetro representativo de su realeza innata.

Va arrancando limones –no robándolos– y los arroja al río, sin más propósito que el del gozo estético que le produce ver cómo el agua "se pone de oro".

Cuando se lo apresa, el atardecer está desplegando toda su magnificencia. Antonio ya no podrá ver la corrida de toros en Sevilla, pero el cielo mismo asumirá entonces la coloración de una larga capa torera —rosada y amarilla— mientras la luz desaparece en el horizonte. Será el lugar del "prendimiento" como una plaza de toros, para una cósmica "corrida".

En el momento de la pacífica entrega, la vara se quiebra. Ya no es rey de sí mismo y el cetro no le corresponde. Entonces, recibe el insulto más contundente: "eres hijo de nadie". Su actitud deshonrosa lo ha convertido en un ser anónimo, sin estirpe.

En el final, mientras la noche muestra su esplendidez, esa limonada que beben sus captores y que no parece ser muy acorde con su supuesta virilidad, se enlaza sutilmente con la causa y el bochorno del prendimiento del gitano.

En la *Muerte de Antoñito el Camborio*, envidia y codicia desencadenan la tragedia. Cuando el poema comienza, la naturaleza es un marco de asechanzas agoreras. Cuando concluye –porque la Muerte ha cumplido su misión– todo vuelve a sumergirse en silenciosa serenidad.

Con nombre y apellido, el poeta se convierte en un personaje de la obra, para asistir más de cerca aun a la agonía del gitano. A pesar de su destreza y valentía extrema, Antonio ha sucumbido a la traición de sus cuatro primos Heredia.

El fatalismo, las fuerzas ancestrales, el odio entre familias termina con su vida, aunque no totalmente. "Morirse de perfil –dice uno de sus críticos– es hacerlo para la posteridad, como el héroe acuñado en una moneda: Antonio el Camborio es irrepetible, como lo fue Cristo y como lo será Sánchez Mejías".

Romance de la Guardia Civil Española: Tema difícil para tratarlo poéticamente. Sin embargo, tras una elaboración de más de dos años, Federico logra con él uno de los romances más perfectos.

Es imborrable su descripción de los guardias civiles: seres sin rostro, de presencia siniestra y hostil, encorvados no sólo sobre su cabalgadura sino sobre sí mismos, con sucias capas que parecen envolver un hueco y no una forma humana. Para ello, recurre a un preciso vocabulario, con la reiterada presencia del adjetivo "negro" y la acumulación de voces que tienen que ver con muerte y brutalidad. Así es como se crea el trágico clima.

Abruptamente irrumpe la ciudad de los gitanos, presentada como un mundo de colores, abierta y con flancos vulnerables. Ciudad de construcciones imposibles y de actividades que conjugan lo fantástico con lo terrenal. Cuando la partida de cuarenta hombres entra a saqueo, todo se desquicia y fragmenta. Y para que el atropello perpetrado sea completo, Federico la identifica con Belén, otorgándole un carácter sacro que convierte su destrucción en verdadera herejía. El poeta tiene previsto otro desenlace que, sin embargo, no integra la versión definitiva. Se trata de una apoteosis final, con la Guardia Civil brindando por la muerte de los gitanos.

—Delia Nilda Arrizabalaga

CONFERENCIA

LAS NANAS INFANTILES

* Leída por primera vez en la Residencia de Estudiantes (Madrid), en 1928. Luego, en La Habana (1930), y en Buenos Aires (1933).

Señoras y señores:

En esta conferencia no pretendo, como en anteriores, definir, sino sugerir. Animar, en su exacto sentido. Herir pájaros soñolientos. Donde haya un rincón oscuro, poner un reflejo de nube alargada y regalar unos cuantos espejos de bolsillo a las señoras que asisten.

He querido bajar a la ribera de los juncos. Por debajo de las tejas amarillas. A la salida de las aldeas, donde el tigre se come a los niños. Estoy en este momento lejos del poeta que mira el reloj, lejos del poeta que lucha con la estatua, que lucha con el sueño, que lucha con la anatomía; he huido de todos mis amigos y me voy con aquel muchacho que se come la fruta verde y mira cómo las hormigas devoran al pájaro aplastado por el automóvil.

Por las calles más puras del pueblo me encontraréis: por el aire viajero y la luz tendida de las melodías que Rodrigo Caro llamó "reverendas madres de todos los cantares". Por todos los sitios donde se abre la tierna orejita rosa del niño o la blanca orejita de la niña que espera, llena de miedo, el alfiler que abra el agujero para la arracada.

En todos los paseos que yo he dado por España, un poco cansado de catedrales, de piedras muertas, de paisajes con alma, me puse a buscar los elementos vivos, perdurables, donde no se hiela el minuto, que viven un tembloroso presente. Entre los infinitos que existen, yo he seguido dos: las canciones y los dulces. Mientras una catedral permanece clavada en su época, dando una expresión continua del ayer al paisaje siempre movedizo, una canción salta de pronto de ese ayer a nuestro instante, viva y llena de latidos como una rana, incorporada al panorama como arbusto reciente, trayendo la luz viva de las horas viejas, gracias al soplo de la melodía.

Todos los viajeros están despistados. Para conocer la Alhambra de Granada, por ejemplo, antes de recorrer sus patios y sus salas, es mucho más útil, más pedagógico comer el delicioso alfajor de Zafra o las tortas alajú de las monjas, que dan, con la fragancia y el sabor, la temperatura auténtica del palacio cuando estaba vivo, así como la luz an-

tigua y los puntos cardinales del tempe-
ramento de su corte.

En la melodía, como en el dulce, se re-
fugia la emoción de la historia, su luz
permanente sin fechas ni hechos. El
amor y la brisa de nuestro país vienen en
las tonadas o en la rica pasta del turrón,
trayendo vida viva de las épocas muertas,
al contrario de las piedras, las campanas,
las gentes con carácter y aun el lenguaje.

La melodía, mucho más que el texto,
define los caracteres geográficos y la lí-
nea histórica de una región y señala de
manera aguda momentos definidos de
un perfil que el tiempo ha borrado. Un
romance, desde luego, no es perfecto
hasta que no lleva su propia melodía,
que le da la sangre y palpitación y el
aire severo o erótico donde se mueven
los personajes.

La melodía latente, estructurada con sus centros nerviosos y sus ramitos de sangre, pone vivo calor histórico sobre los textos que a veces pueden estar vacíos y otras veces no tienen más valor que el de simples evocaciones.

Antes de pasar adelante debo decir que no pretendo dar en la clave de las cuestiones que trato. Estoy en un plano poético donde el sí y el no de las cosas son igualmente verdaderos. Si me preguntan ustedes: "¿Una noche de luna de hace cien años es idéntica a una noche de luna de hace diez días?", yo podría demostrar (y como yo otro poeta cualquiera, dueño de su mecanismo) que era idéntica y que era distinta de la misma manera y con el mismo acento de verdad indiscutible. Procuro evitar el dato erudito que, cuando no tiene gran belleza, cansa a los auditorios y, en cambio, persigo subrayar el dato de emoción, porque a vosotros os interesa más saber si de una melodía brota una brisa tamizada que incita al sueño o si una canción puede poner un paisaje simple delante de los ojos recién cuajados del niño, que saber si esa melodía es del siglo XVII o si está escrita en tres por cuatro, cosa que el poeta debe saber, pero no repetir, y que realmente está al alcance de todos los que se dedican a estas cuestiones.

Hace unos años, paseando por las inmediaciones de Granada, oí cantar a una mujer del pueblo mientras dormía a su niño. Siempre había notado la aguda tristeza de las canciones de cuna de nuestro país; pero nunca como entonces sentí esta verdad tan concreta. Al acercarme a la cantora para anotar la

canción observé que era una andaluza
guapa, alegre sin el menor tic de melancolía; pero una tradición viva obraba en
ella y ejecutaba el mandado fielmente,
como si escuchara las viejas voces im-
periosas que patinaban por su sangre.
Desde entonces he procurado recoger
canciones de cuna de todos los sitios de
España; quise saber de qué modo dor-
mían a sus hijos las mujeres de mi país,
y al cabo de un tiempo recibí la impre-
sión de que España usa sus melodías
para teñir el primer sueño de sus niños.
No se trata de un modelo o de una canción aislada en una región, no; todas las
regiones acentúan sus caracteres poéti-
cos y su fondo de tristeza en esta clase
de cantos, desde Asturias y Galicia hasta Andalucía y Murcia, pasando por el
azafrán y el modo yacente de Castilla.

Existe una canción de cuna europea, suave y monótona, a la cual puede entregarse el niño con toda fruición, desplegando todas sus aptitudes para el sueño. Francia y Alemania ofrecen característicos ejemplos, y entre nosotros, los vascos dan la nota europea con sus nanas de un lirismo idéntico al de las canciones nórdicas, llenas de ternura y amable simplicidad.

La canción de cuna europea no tiene más objeto que dormir al niño, sin que quiera, como la española, herir al mismo tiempo su sensibilidad.

El ritmo y la monotonía de estas canciones de cuna que llamo europeas las pueden hacer aparecer como melancólicas, pero no lo son por sí mismas; son melancólicas accidentalmente, como un chorro de agua o el temblor de una hoja en determinado momento. No podemos confundir monotonía con melancolía. El cogollo de Europa tiende grandes telones grises ante sus niños para que duerman tranquilamente. Doble virtud de lana y esquila. Con el mayor tacto.

Las canciones de cuna rusas que conozco, aun teniendo el oblicuo y triste rumor eslavo –pómulo y lejanía– de toda su música, no poseen la claridad sin nubes de las españolas, el sesgo profundo, la sencillez patética que nos caracterizan. La tristeza de la canción de cuna rusa puede soportarla el niño, como se soporta un día de niebla de los cristales; pero en España, no. España es el país de los perfiles. No hay términos borrosos por donde se pueda huir al otro mundo. Un muerto es más muerto en España que en cualquier otra parte del mundo.

Y el que quiere saltar al sueño se hiere los pies con el filo de una navaja barbera.

No quiero que crean ustedes que vengo a hablar de la España negra, la España trágica, etc., tópico demasiado manoseado y sin eficacia literaria por ahora. Pero el paisaje de las regiones que más trágicamente la representan, que son aquellas donde se habla el castellano, tiene el mismo acento duro, la misma originalidad dramática y el mismo aire enjuto de las canciones que brotan en él. Siempre tendremos que reconocer que la belleza de España no es serena, dulce, reposada, sino ardiente, quemada, excesiva, a veces sin órbita; belleza sin la luz de un esquema inteligente donde apoyarse y que, ciega de su propio resplandor, se rompe la cabeza contra las paredes.

Se pueden encontrar en el campo español ritmos sorprendentes o construcciones melódicas llenas de un misterio y una antigüedad que escapa a nuestro dominio: pero nunca encontraremos un solo ritmo elegante, es decir, consciente de sí mismo, que se vaya desarrollando con serenidad querida aunque brote del pico de una llama.

Pero aun dentro de esta tristeza sobria o este furor rítmico, España tiene cantos alegres, chanzas, bromas, canciones de delicado erotismo y encantadores madrigales. ¿Cómo ha reservado para llamar al sueño del niño lo más sangrante, lo menos adecuado para su delicada sensibilidad?

No debemos olvidar que la canción de cuna está inventada (y sus textos lo expresan) por las pobres mujeres cuyos niños son para ellas una carga, una cruz pesada con la cual muchas veces no pueden.

Cada hijo, en vez de ser una alegría, es una pesadumbre, y, naturalmente, no pueden dejar de cantarle, aun en medio de su amor, su desgana de la vida.

Hay ejemplos exactos de esta posición, de este resentimiento contra el niño que ha llegado cuando, aun queriendo la madre, no ha debido llegar de ninguna manera. En Asturias, se canta esto en el pueblo de Navia:

Este neñín que tengo del collo
e d' un amor que se tyama Vitorio
Dios que madeu, treveme llongo
por non andar con Vitorio nel collo.

Y la melodía con que se canta está a tono con la tristeza miserable de los versos.

Son las pobres mujeres las que dan a los hijos este pan melancólico y son ellas las que lo llevan a las casas ricas. El niño rico tiene la nana de la mujer pobre que le da al mismo tiempo, en su cálida leche silvestre, la médula del país.

Estas nodrizas, juntamente con las criadas y otras sirvientas más humildes, están realizando hace mucho tiempo la importantísima labor de llevar el romance, la canción y el cuento a las casas de los aristócratas y los burgueses. Los niños ricos saben de Gerineldo, de don Bernardo, de Tamar, de los amantes de Teruel, gracias a estas admirables criadas y nodrizas que bajan de los montes o vienen a lo largo de nuestros ríos para darnos la primera lección de historia de España y poner en nuestra carne el sello áspero de la divisa ibérica: "Solo estás y solo vivirás."

Para provocar el sueño del niño intervienen varios factores importantes si contamos, naturalmente, con el beneplácito de las hadas.

Las hadas son las que traen las anémonas y las temperaturas. La madre y la canción ponen lo demás.

Todos los que sentimos al niño como el primer espectáculo de la Naturaleza, los que creemos que no hay flor, número o silencio comparables a él, hemos observado muchas veces cómo, al dormirse y sin que nada ni nadie le llame la atención, ha vuelto la cara del almidonado pecho de la nodriza (ese pequeño monte volcánico estremecido de leche y venas azules) y ha mirado con los ojos fijos la habitación aquietada para su sueño.

"¡Ya está ahí!", digo yo siempre, y, efectivamente, está.

El año de 1917 tuve la suerte de ver a un hada en la habitación de un niño pequeño, primo mío. Fue una centésima de segundo, pero la vi. Es decir, la vi... como se ven las cosas puras, situadas al margen de la circulación de la sangre, con el rabillo del ojo, como el gran poeta Juan Ramón Jiménez vio a las sirenas, a su vuelta de América: las vio que se acababan de hundir. Esta hada estaba encaramada en la cortina, relumbrante como si estuviera vestida con un traje de ojo de perdiz, pero me es imposible recordar su tamaño ni su gesto. Nada más fácil para mí que inventármela, pero sería un engaño poético de primer orden, nunca una creación poética, y yo no quiero engañar a nadie. No hablo con humor ni con ironía; hablo con la fe arraigada que solamente tienen el poeta, el niño y el tonto puro. Al hablar incidentalmente de las hadas cumplí con mi deber de protagonista del sentido poético, hoy casi perdido por culpa de los literatos y los intelectuales, que han esgrimido contra él las armas humanas y poderosas de la ironía y el análisis.

Después del ambiente que ellas crean hacen falta dos ritmos: el ritmo físico de la cuna o silla y el ritmo intelectual de la melodía. La madre traba estos dos ritmos para el cuerpo y para el oído con distintos compases y silencios, los va combinando hasta conseguir el tono justo que encanta al niño.

No hacía falta ninguna que la canción tuviese texto. El sueño acude con el ritmo solo y la vibración de la voz sobre ese ritmo. La canción de cuna perfecta sería la repetición de dos notas entre sí, alargando su duración y efecto. Pero la madre no quiere ser fascinadora de serpientes, aunque en el fondo emplee la misma técnica.

Tiene necesidad de la palabra para mantener al niño pendiente de sus labios, y no sólo gusta de expresar cosas agradables mientras viene el sueño, sino que lo entra de lleno en la realidad cruda y le va infiltrando el dramatismo del mundo.

Así, pues, la letra de las canciones va contra el sueño y su río manso. El texto provoca emociones en el niño y estados de duda, de terror, contra los cuales tiene que luchar la mano borrosa de la melodía que peina y amansa los caballitos encabritados que se agitan en los ojos de la criatura.

No olvidemos que el objeto fundamental de la nana es dormir al niño que no tiene sueño. Son canciones para el día y la hora en que el niño tiene ganas de jugar. En Tamames se canta:

> *Duérmete, mi niño,*
> *que tengo que hacer,*
> *lavarte la ropa,*
> *ponerme a coser.*

Y a veces la madre realiza una verdadera batalla que termina con azotes, llantos y sueño al fin. Nótese cómo al niño recién nacido no se le canta la nana casi nunca. Al niño recién nacido se le entretiene con el esbozo melódico dicho entre dientes, y, en cambio, se da mucha más importancia al ritmo físico, al balanceo. La nana requiere un espectador que siga con inteligencia sus acciones y se distraiga con la anécdota, tipo o evocación de paisaje que la canción expresa. El niño al que se canta ya habla, empieza a andar, conoce el significado de las palabras y muchas veces canta él también.

Hay una relación delicadísima entre el niño y la madre en el momento silencioso del canto. El niño permanece alerta para protestar el texto o avivar el ritmo demasiado monótono. La madre adopta una actitud de ángulo sobre el agua al sentirse espiada por el agudo crítico de su voz.

Ya sabemos que a todos los niños de Europa se les asusta con el "coco" de maneras diferentes. Con el "bute" y la "marimanta" andaluza, forma parte de ese raro mundo infantil, lleno de figuras sin dibujar, que se alzan como elefantes entre la graciosa fábula de espíritus caseros que todavía alientan en algunos rincones de España.

La fuerza mágica del "coco" es precisamente su desdibujo. Nunca puede aparecer, aunque ronde las habitaciones. Y lo delicioso es que sigue desdibujado para todos. Se trata de una abstracción poética, y, por eso, el miedo que produce es un miedo cósmico, un miedo en el cual los sentidos no pueden poner sus límites salvadores, sus paredes objetivas que defienden, dentro del peligro, de otros peligros mayores, porque no tienen explicación posible. Pero no hay tampoco duda de que el niño lucha por representarse esa abstracción, y es muy frecuente que llame "cocos" a las formas extravagantes que a veces se encuentran en la Naturaleza. Al fin y al cabo, el niño está libre para poder imaginárselo. El miedo que le tenga depende de su fantasía, y puede, incluso, serle simpático. Yo conocí a una niña catalana que, en una de las últimas exposiciones cubistas de mi gran compañero de Residencia Salvador Dalí, nos costó mucho trabajo sacarla fuera del local, porque estaba entusiasmada con los "papos", los "cocos", que eran cuadros grandes de colores ardientes y de una extraordinaria fuerza expresiva. Pero no es España aficionada al "coco". Prefiere asustar con seres reales. En el Sur, el "toro" y la "reina mora" son las amenazas; en Castilla, la "loba" y la "gitana", y en el norte de Burgos se hace una maravillosa sustitución del "coco" por la "aurora". Es el mismo procedimiento para infundir silencio que se emplea en la nana más popular de Alemania, en la cual es una oveja la que viene a morder al niño. La concentración y huida al otro mundo, el ansia de abrigo y el ansia de límite seguro que impone la aparición de estos seres reales o imaginarios llevan al sueño, aunque conseguido de manera poco prudente... Pero esta técnica del miedo no es muy frecuente en España. Hay otros medios más refinados y algunos más crueles.

Muchas veces la madre construye en la canción una escena de paisaje abstracto, casi siempre nocturno, y en ella pone, como en el auto más simple y viejo, uno o dos personajes que ejecutan alguna acción sencillísima y casi siempre de un efecto melancólico de lo más bello que se puede conseguir. Por esta escenografía diminuta pasan los tipos que el niño va dibujando necesariamente y que se agrandan en la niebla caliente de la vigilia.

A esta clase pertenecen los textos más suaves y tranquilos por los que el niño puede correr relativamente sin temores. Andalucía tiene hermosos ejemplos. Es la canción de cuna más racional, si no fuera por las melodías. Pero las melodías son dramáticas, siempre de un dramatismo incomprensible para el oficio que ejercen. Yo he recogido en Granada seis versiones de esta nana:

> *A la nana, nana, nana,*
> *a la nanita de aquel*
> *que llevó el caballo al agua*
> *y lo dejó sin beber.*

En Tamames (Salamanca) existe ésta:

> *Las vacas de Juana*
> *no quieren comer;*
> *llévalas al agua,*
> *que querrán beber.*

En Santander se canta:

> *Por aquella calle a la larga*
> *hay una gavilán perdío*
> *que dicen que va a llevarse*
> *la paloma de su nío.*

Y en Pedrosa del Príncipe (Burgos):

> *A mi caballo le eché*
> *hojitas de limón verde*
> *y no las quiso comer.*

Los cuatro textos, aunque de personajes diferentes y de sentimientos distintos, tienen un mismo ambiente. Es decir: la madre evoca un paisaje de la manera más simple y hace pasar por él a un personaje al que rara vez da nombre. Solamente conozco dos tipos bautizados en el ámbito de la nana: Pedro Neleira, de la Villa del Grado, que llevaba la gaita colgada de un palo, y el delicioso maestro Galindo de Castilla, que no podía tener escuela porque pegaba a los muchachos sin quitarse las espuelas.

La madre lleva al niño fuera de sí, a la lejanía, y le hace volver a su regazo para que, cansado, descanse. Es una pequeña iniciación de aventura poética. Son los primeros pasos por el mundo de la representación intelectual. En esta nana (la más popular del reino de Granada),

A la nana, nana, nana,
a la nanita de aquel
que llevó el caballo al agua
y lo dejó sin beber…

el niño tiene un juego lírico de belleza pura antes de entregarse al sueño. Ese *aquel* y su caballo se alejan por el camino de ramas oscuras hacia el río, para volver a marcharse por donde empieza el canto una vez y otra vez, siempre de manera silenciosa y renovada. Nunca el niño los verá de frente. Siempre imaginará en la penumbra el traje oscuro de *aquel* y la grupa brillante del caballo. Ningún personaje de estas canciones da la cara. Es preciso que se alejen y abran un camino hacia sitios donde el agua es más profunda y el pájaro ha renunciado definitivamente a sus alas. Hacia la más simple quietud. Pero la melodía da en este caso un tono que hace dramático en extremo a *aquel* y a su caballo; y al hecho insólito de no darle agua, una rara angustia misteriosa.

En este tipo de canción, el niño reconoce al personaje y, según su experiencia visual, que siempre es más de lo que suponemos, perfila su figura. Está obligado a ser un espectador y un creador al mismo tiempo, ¡y qué creador maravilloso! Un creador que posee un sentido poético de primer orden. No tenemos más que estudiar sus primeros juegos, antes de que se turbe de inteligencia, para observar qué belleza planetaria los anima, qué simplicidad perfecta y qué misteriosas relaciones descubren entre cosas y objetos que Minerva no podrá nunca descifrar. Con un botón, un carrete de hilo, una pluma y los cinco dedos de su mano construye el niño un mundo difícil cruzado de resonancias inéditas que cantan y se entrechocan de turbadora manera, con alegría que no ha de ser analizada. Mucho más de lo que pensamos comprende el niño. Está dentro de un mundo poético inaccesible, donde ni la retórica, ni la alcahueta imaginación, ni la fantasía tienen entrada; planicie con los centros nerviosos al aire, de horror y belleza aguda, donde un caballo blanquísimo, mitad de níquel, mitad de humo, cae herido de repente con un enjambre de abejas clavadas de furiosa manera sobre sus ojos.

Muy lejos de nosotros, el niño posee íntegra la fe creadora y no tiene aún la semilla de la razón destructora. Es inocente y, por tanto, sabio. Comprende, mejor que nosotros, la clave inefable de la sustancia poética. Otras veces la madre sale también de aventura con su niño en la canción. En la región de Guadix se canta:

A la nana, niño mío,
a la nanita y haremos
en el campo una chocita
y en ella nos meteremos.

Se van los dos. El peligro está cerca. Hay que reducirse, achicarse, que las paredes de la chocita nos toquen en la carne. Fuera nos acechan. Hay que vivir en un sitio muy pequeño. Si podemos, viviremos dentro de una naranja. Tú y yo. ¡Mejor, dentro de una uva!

Aquí llega el sueño, atraído por el procedimiento contrario al de la lejanía.

Dormir al niño, habiendo un camino delante de él, equivale un poco a la raya de tiza blanca que hace el hipnotizador de gallos. Esta manera de recogimiento dentro de sí es más dulce. Tiene la alegría del que ya está seguro en la rama del árbol durante la turbulenta inundación.

Hay algún ejemplo en España –Salamanca y Murcia– en el cual la madre hace de niño, al revés:

> *Tengo sueño, tengo sueño,*
> *tengo ganas de dormir.*
> *Un ojo tengo cerrado,*
> *otro ojo a medio abrir.*

Usurpa el puesto del niño de una manera autoritaria, y, claro está, como el niño carece de defensa, tiene forzosamente que dormirse.

Pero el grupo más completo de canciones de cuna, y el más frecuente en todo el país, está compuesto por aquellas canciones en las cuales se obliga al niño a ser actor único de su propia nana.

Se le empuja dentro de la canción, se le disfraza y se le pone en oficios o momentos siempre desagradables.

Aquí están los ejemplos más cantados y de más rica enjundia española, así como las melodías más originales y de más acentuado indigenismo.

El niño es maltratado, zaherido de la manera más tierna: "Vete de aquí; tú no eres mi niño; tu madre es una gitana." O "Tu madre no está; no tienes cuna; eres pobre, como Nuestro Señor" y siempre en este tono.

Ya no se trata de amenazar, asustar o construir una escena, sino que se echa al niño dentro de ella, solo y sin armas, caballero indefenso contra la realidad de la madre.

La actitud del niño en esta clase de nanas es casi siempre de protesta, más o menos acentuada, según su sensibilidad.

Yo he presenciado infinidad de casos en mi larga familia, en los cuales el niño ha impedido rotundamente la canción. Han llorado, han pataleado hasta que la nodriza ha cambiado, con gran disgusto por parte de ella, el disco y ha roto con otra canción en la cual se compara el sueño del niño con el bovino rubor de la rosa. En Trubia se canta a los niños esta *añada*, que es una lección de desencanto:

> *Criome mi madre*
> *feliz y contentu,*
> *cuando me dormía*

me iba diciendo:
"¡Ea, ea, ea!
tú has de ser marqués,
y por mi desgracia
yo aprendí a "goxeru".
Facía los "goxos"
en mes de Xineru
y por el verano
cobraba el dineru.
Aquí está la vida
del pobre "goxeru".
"¡Ea, ea, ea!", etc., etc.

Oigan ahora ustedes esta nana que se canta en Cáceres, de rara pureza melódica, que parece hecha para cantar a los niños que no tienen madre y cuya severidad lírica es tan madura que más bien parece canto para morir que canto para el primer sueño:

Duérmete, mi niño, duérmete
que tu madre no está en casa,
que se llevó la Virgen
de compañera a su casa.

De este tipo existen varias en el norte y el oeste de España, que es donde la nana toma acentos más duros y miserables.

En Orense se canta otra nana por una doncella cuyo senos todavía ciegos esperan el rumor resbaladizo de su manzana cortada:

Ora, ora, niño, ora;
¿quién vos hai de dar la teta
si tu pai va no monte
y tua mai na leña seca?

Las mujeres de Burgos cantan:

Echate niño al ron ron,
que tu padre está al carbón
y tu madre a la manteca
no te puede dar la teta.

Estas dos nanas tienen mucho parecido. La antigüedad venerable de las dos está suficientemente clara. Ambas melodías están escritas en un tetracordo, dentro del cual desenvuelven su esquema. Por la simplicidad y su puro diseño son canciones que no tienen par en ningún cancionero.

Es particularmente triste la nana con que duermen a sus hijos las gitanas de Sevilla. Pero no creo que sea oriunda de esta ciudad. Es el único tipo que presento influido por el canto de las montañas del Norte y que no ofrece la autonomía melódica insobornable que

tiene cada región cuando logra definir-
se. Constantemente vemos en todos los
cantos gitanos esa influencia nórdica a
través de Granada. Está recogida en Sevilla por un amigo mío de gran escru-
pulosidad musical, pero parece hija di-
recta de los valles penibéticos. El diseño
tiene extraordinario parecido con este
canto de Santander, muy conocido:

> *Por aquella vereda*
> *no pasa nadie,*
> *que murió la zagala,*
> *la flor del valle,*
> *la flor del valle,*
> *sí, etc.*

Es una nana de este tipo triste en
que se deja solo al niño, aun en medio
de la mayor ternura. Dice así:

Este galapaguito
no tiene madre,
lo parió una gitana,
lo echó a la calle.

No hay duda ninguna de su acento nórdico, mejor diría granadino, canto que conozco porque lo he recogido, y en donde se traban, como en su paisaje, la nieve con el surtidor y el helecho con la naranja. Pero para afirmar todas estas cosas hay que andar con sumo tacto. Hace años, Manuel de Falla venía sosteniendo que una canción de columpio que se canta en los primeros pueblos de Sierra Nevada era de indudable origen asturiano. Las varias transcripciones que le llevamos afirmaron su creencia. Pero un día la oyó cantar él mismo y al transcribirla y estudiarla notó que era una

canción con el ritmo viejo llamado epi-
trito y que nada tenía que ver con la to-
nalidad ni con la métrica típicas de Asturias. La transcripción, al dislocar el
ritmo, la hacía asturiana. No hay duda
de que Granada tiene un gran acervo de
canciones de tono galaico y de tono asturiano, debido a una colonización que
gentes de estas dos regiones iniciaron en
la Alpujarra; pero existen otras infinitas
influencias difíciles de captar por esa
máscara terrible que lo cubre todo y que
se llama carácter regional, el cual con-
funde y nubla las entradas de las claves,
sólo descifrables por técnicos tan pro-
fundos como Falla, quien, además, posee
una intuición artística de primer orden.

En todo el folclore musical español,
con algunas gloriosas excepciones, existe
un desbarajuste sin freno en esto de trans-

cribir melodías. Se pueden considerar como *no transcriptas* muchas de las que circulan. No hay nada más delicado que un ritmo, base de toda melodía, ni nada más difícil que una voz del pueblo que da en estas melodías tercios de tono y aun cuartos de tono, que no tienen signos en el pentagrama de la música construida. Ya ha llegado la hora de sustituir los imperfectos cancioneros actuales con colecciones de discos de gramófono, de utilidad suma para el erudito y para el músico.

De este mismo ambiente que tiene la nana del galapaguito, aunque ya más enjunto y de melodía más sobria y poética, existe un tipo en Morón de la Frontera y algún otro en Usana, recogido por el insigne Pedrell.

En Béjar se canta la nana más ardiente, más representativa de Castilla.

Canción que sonaría como una moneda de oro si la arrojásemos contra las piedras del suelo:

> *Duérmete, niño pequeño,*
> *duerme, que te velo yo;*
> *Dios te dé mucha ventura*
> *neste mundo engañador.*

> *Morena de las morenas,*
> *la Virgen del Castañar;*
> *en la hora de la muerte*
> *ella nos amparará.*

En Asturias se canta esta otra añada, en la cual la madre se queja de su marido para que el niño la oiga.

El marido viene golpeando la puerta, rodeado de hombres borrachos, en la noche cerrada y lluviosa del país. La mujer mece al niño con una herida en los pies, con una herida que tiñe de sangre las cruelísimas maromas de los barcos.

> *Todos los trabayos son*
> *para las pobres muyeres,*
> *aguardando por las noches*
> *que los maridos vinieren.*

> *Unos veníen borrachos,*
> *otros veníen alegres;*
> *otros decíen: "Muchachos,*
> *vamos matar las muyeres".*

> *Ellos piden de cenar,*
> *ellas que darles no tienen.*
> *"¿Qué ficiste los dos riales?*
> *Muyer, ¡qué gobierno tienes!"*
> *Etc., etc.*

Es difícil encontrar en toda España un canto más triste y de más cruda salacidad. Nos queda, sin embargo, por ver un tipo de canción de cuna verdaderamente extraordinario. Hay ejemplos en Asturias, Salamanca, Burgos y León. No es la nana de una región determinada, sino que corre por el norte y el centro de la Península. Es la canción de cuna de la mujer adúltera, que cantando a su niño se entiende con el amante.

Tiene un doble sentido de misterio y de ironía que sorprende siempre que se escucha. La madre asusta al niño con un hombre que está en la puerta y que no debe entrar. El padre está en casa y no lo dejaría. La variante de Asturias dice:

El que está en la puerta
que non entre agora,

*que está el padre en casa
del neñu que llora.*

*Ea, mi neñín, agora non,
ea, mi neñín, que está el papón.*

*El que está en la puerta
que vuelva mañana,
que el padre del neñu
está en la montaña.*

*Ea, mí neñín, agora non,
ea, mi neñín, que está el papón.*

La canción de la adúltera que se canta en Alba de Tormes es más lírica que la asturiana y de sentimiento más velado:

*Palomita blanca
que andas a deshora*

el padre está en casa
del niño que llora.

Palomita negra
de los vuelos blancos,
está el padre en casa
del niño que canta.

La variante de Burgos –Salas de los
Infantes– es la más clara de todas:

Qué majo que eres,
qué mal que lo entiendes,
que está el padre en casa
y el niño no duerme.
Al mu mu,
al mu mu del alma,
¡que te vayas tú!

Es una hermosa mujer la que canta estas canciones. Diosa Flora, de pecho insomne, apto para la cabeza de la víbora. Ávida de frutos y limpia de melancolía. Ésta es la única nana en la cual el niño no tiene importancia de ninguna clase. Es un pretexto nada más. No quiero decir, sin embargo, que todas las mujeres que la cantan sean adúlteras; pero sí que, sin darse cuenta, entran en el ámbito del adulterio. Después de todo, ese hombre misterioso que está en la puerta y no debe entrar es el hombre que lleva la cara oculta por el gran sombrero, con quien sueña toda mujer verdadera y desligada.

He procurado presentar a ustedes diversos tipos de canciones que, con excepción de Sevilla, responden a un modelo regional característico desde el punto de vista melódico. Canciones que no han recibido influencia, melodías fijas que no pueden viajar nunca. Las canciones que viajan son canciones cuyos sentimientos permanecen en un equilibrio tranquilo y que tienen cierto aire universal. Son canciones escépticas, hábiles para cambiar el matemático traje del ritmo, flexibles para el acento y neutrales para la temperatura lírica. Cada región tiene un núcleo melódico fijo e insobornable y un verdadero ejército de canciones peregrinas que circulan por donde pueden y que van a morir fundidas en el último límite de su influencia.

Existe un grupo de canciones asturianas y gallegas que, teñidas de verde, húmedas, descienden a Castilla, donde se estructuran rítmicamente y llegan hasta Andalucía, donde adquieren el modo andaluz y forman el raro canto de montaña granadino.

La siguiriya gitana del Cante Jondo, la más pura expresión de la lírica andaluza, no logra salir de Jerez o de Córdoba, y, en cambio, el bolero, melodía neutra, se baila en Castilla y aun en Asturias. Hay un bolero auténtico en Llanes, recogido por Torner.

Los alalás gallegos golpean noche y día los muros de Zaragoza sin poder penetrarla y, en cambio, muchos acentos de muñeira circulan por las melodías de ciertas danzas rituales y cantos de los gitanos del Sur. Las sevillanas, que llegan intactas hasta Túnez, llevadas por los moros de Granada, ya sufren un cambio total de ritmo y de carácter al llegar a la Mancha, y no logran pasar del Guadarrama.

En las mismas nanas de que hablo, Andalucía influye por el mar, pero no logra llegar al Norte, como en otras clases de canciones. El modo andaluz de la nana tiñe el bajo Levante, hasta algún vou-vei-vou balear, y por Cádiz llega hasta Canarias, cuyo delicioso arrorró es de indudable acento bético.

Podríamos hacer un mapa melódico de España, y notaríamos en él una fusión entre las regiones, un cambio de sangres y jugos que veríamos alternar en las sístoles y diástoles de las estaciones del año.

Veríamos claro el esqueleto de aire irrompible que une las regiones de la Península, esqueleto en vilo sobre la lluvia, con sensibilidad descubierta de molusco, para recoger en un centro a la menor invasión de otro mundo, y volver a manar fuera de peligro la viejísima y compleja sustancia de España.

ÍNDICE

∽ Índice ∾

Índice general

Índice por poemario

De *Libro de poemas*

De *Poema del Cante Jondo*

∞ *Índice* ∞

∞ Índice ∞

Otros títulos de la colección